SUPER SUDOKU FOR KIDS

Modern Publishing
A Division of Unisystems, Inc.
New York, New York 10022

Sudoku is fun and easy to play! There is no math involved—just reasoning and logic! Fill in each 4x4, 6x6, or 9x9 grid with the letters, shapes, or numbers provided so that in each row, column, and square, each repeats only once.

COVER PUZZLE

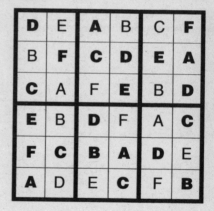

4	1	2	3
3	2	4	1
1	4	3	2
2	3	1	4

		4	1
4		3	2
1	3		4
2	4		

1	2	4	3
	3	1	2
2	4	3	
	1		4

	4	1	
	2	3	4
4	3	2	
	1	4	

5

C	B	D	A
D	A	C	B
B	D	A	C
A	C	B	D

		A	C
A		D	B
B	D		A
C	A		

	A	D	B
D		A	
	C		D
B	D	C	

D	C		
A	B	D	
	D	C	A
		B	D

	A		B
D	B	C	
	C	A	D
A		B	

	C		B
D	B		A
B		A	C
C		B	

11

A	C		
	B	A	C
B	D	C	
		D	B

		D	B
	D	C	A
C	B	A	
D	A		

14

●		▽	☐
		●	✓
✓	●		
☐	▽		●

15

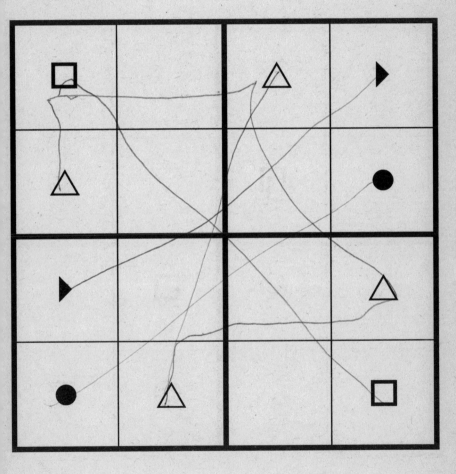

☺	▽		
	☐	▽	☺
▽	☺	☐	
		☺	▽

	3	1	2
		3	4
3	2		
1	4	2	

A	B	D	C
		A	
	D		
C	A	B	D

▶	△		☺
☺			▶
△			✓
✓		▶	△

22

21

	▽	✓	●
●			☐
▽			✓
✓	☐	●	

22

	☺	▽	◆
▽			☺
◆			▽
☺	▽	◆	

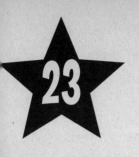

23

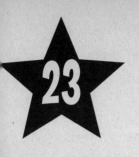

23

☺	□	▶	
		☺	□
□	▶		
	☺	□	▶

▶	●	□	☺
			▶
□			
●	☺	▶	□

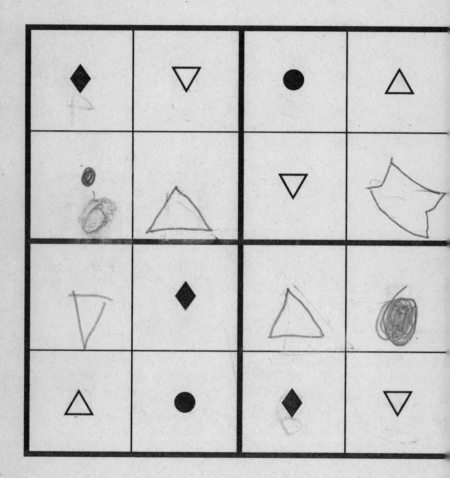

28

27

1	3	2	4
2	4	1	3
4	1	3	2
3	2	4	1

1	3	4	2
2	4	1	3
3	1	2	4
4	2	3	1

	4		
1	3	4	2
3	1	2	4
		3	

		1	
3	1	2	4
4	2	3	1
	3		

1		2	3
3		4	
	1		4
4	3		2

4		2	1
1		4	
	4		2
2	1		4

2	1		
4		2	1
3	4		2
		4	3

	4	1	3
1			4
3			2
4	2	3	

1	3	2	4
	4		
		4	
4	1	3	2

A	C	B	D
		A	
	A		
D	B	C	A

	D	B	A
	B	D	
	C	A	
D	A	C	

A	C	D	
D		C	
	D		C
	A	B	D

C	D		B
B	A		
		D	C
D		B	A

A	B		D
C		A	B
C	D		
B		D	C

D	C		
B	A	C	
	D	B	A
		D	C

42

	D		
C	A	B	D
A	B	D	C
		A	

◆	☺		▶
	▶		☺
☺		▶	
▶		☺	◆

●		▶	
✓		□	●
□	●		▶
	✓		□

	♦			
✓	☺	♦	▽
☺	✓	▽	♦
			☺

46

▽	✓		
●	◆	▽	
	●	✓	▽
		◆	●

47

	▽		☐
☐	●	▽	
	☐	△	●
●		☐	

		2	4
4	2		3
1		4	2
2	4		

B	D		
	A	D	B
D	B	C	
		B	D

●	✓	▶	
▶			●
✓			▶
	▶	●	✓

●	▽	◆	△
△			
			◆
◆	●	△	▽

52

□			●
◆	●		✓
●		✓	◆
✓			□

53

☺		✓	▶
	✓	▽	
	▶	☺	
✓	☺		▽

54

□	▶		
	▽	□	▶
▽	□	▶	
		▽	□

55

△		☺	
♦	☺	△	
	△	♦	☺
	♦		△

56

	△	☺	▶
☺	▶		
		▶	☺
▶	☺	▽	

3		2	
2	1	3	
	3	1	2
	2		3

		1	2
	1	4	3
4	3	2	
1	2		

3			2
1	2		4
2		4	1
4			3

2	3	4	
1			2
4			3
	1	2	4

	2		3
	3	2	4
2	4	3	
3		4	

	1	3	4
	4	2	
	2	1	
1	3	4	

3	2		1
		3	2
1	3		
2		1	3

64

		3	
4	3	2	1
2	4	1	3
	1		

3		2	4
		3	1
2	4		
1	3		2

C		D	B
D		C	
	D		C
A	C		D

67

C		A	
A		C	B
B	A		C
	C		A

68

B	A	C	
		A	B
D	C		
	B	D	C

69

		A	B
A	B	D	
	A	B	D
B	D		

		D	A
	A	B	C
C	B	A	
A	D		

71

B			
C	D	B	A
D	B	A	C
			B

B	D	C	A
			D
D			
A	B	D	C

	●	▶	✓
▶		☺	
	☺		▶
✓	▶	●	

75

▽	△		
	✓	△	▽
✓	▽	☐	
		▽	✓

△		◆	
▽	◆		△
◆		▽	☺
	▽		◆

◆			△
△		●	◆
▢	◆		●
●			▢

77

			□
✓	□	▽	▶
▽	▶	□	✓
□			

●			▽
▽		□	●
✓	●		□
□			✓

79

1	4		
3		4	1
2	3		4
		3	2

D		B	C
C	B		
		D	B
B	D		A

81

2		3			
3	4		1		
			2		1
4		2			
		1		6	4
			4		3

2			6	1	
	5		1		
		3		4	
	4		2		
		6		2	
	2	1			6

	4	5			
	5				
	6		3	1	5
4	3	2		6	
				3	
			1	5	

		1		6	2
6				1	
	4		2		
		3		4	
	6				5
4	1		5		

1		2	6		
	4	2	6		
		1		2	3
6	5		1		
		5	3	6	
					1

86

A		C	D		F
					A
			A	B	
	E	A			
C					
D		E	F		B

87

				D	
D		E			
		B	D	C	E
E	B	C	F		
			B		F
	A				

F		A		E	
	A				
	D	E		A	
	B		C	F	
				D	
	E		A		B

	D	F	C	A	
					E
		B		D	
	B		F		
F					
	E	D	B	F	

			B		
A		D		C	B
F			E		
		E			D
C	F		D		E
		F			

D	A				
	C	A	F		E
F					
					C
C		B	E	F	
				B	D

A					B
		C			
		B	D	A	E
D	B	F	C		
			E		
E					D

			D	D	A	E
A	C	B		F	
	E		F	C	A
D	F	A			

94

	E		B	C	
B					
	A	F		B	
	B		F	A	
					E
	D	E		F	

95

	B	C		F	D
F	C				
			E		
		A			
				B	A
D	A		C	E	

	▶	☺	✓		
▽	△	▶			☺
✓			☺	▶	△
		▽	△	☺	

97

98

	6		5	2	4
				6	
		4	6		
		5	4		
	4				
2	5	3		4	

		A		
D	A		C	
	E	C D		
		A C	B	
	B		A	C
		B		

♦		●			✓
				♦	
		♦	▶		☺
▶		☺	●		
	▢				
✓			▢		♦

			△	▶	
✓	▶				△
	△			✓	
	●			△	
▶				□	●
	✓	●			

102

▶					
		♦			☺
☺	□	△	✓		
		□	♦	☺	△
♦			△		
					▶

103

	◆				
	▽	☺	□	△	◆
				▽	
	☺				
◆	▶	□	▽	☺	
				□	

		☺	◆		
☺					
●			▽	☺	◆
◆	☐	▽			●
					☐
		▶	☐		

	□		▽	△	▶
●	▶				
		□			
			●		
				☺	●
△	●	▽		▶	

106

✓			▶	◆	
	△		◆	☐	
	◆				
				●	
	▶	◆		△	
	☐	△			✓

6	2				
			2	3	1
		5			2
2			3		
3	6	1			
				5	3

	1		5	4	6
3		4		5	
	3		1		2
6	5	2		1	

109

	2	3		1	
			1	2	
		2	5		
		6	3		
	1	5			
	6		2	5	

					5
4	3				
6		3	2	4	
	1	4	5		3
				5	2
5					

111

6		1	2		3
	4				
				5	2
4	2				
				1	
1		5	4		6

112

6		3	1	5	
		4	5		3
5		1	3		
	2	6	4		5

			5		4
	3				2
1	4		3		
		4		6	5
4				2	
2		5			

					6
			3	2	
		1	6	3	4
4	5	3	1		
	3	6			
2					

	1		4		
	3	6		4	
			3	6	
	5	2			
	2		1	5	
		4		3	

116

			E	F	
			B	C	D
			A		B
D		A			
A	C	B			
	F	E			

	B	C	E	A	
C		A		B	
	F		D		A
	A	B	C	D	

		C			
	D	F	A		C
C	A				
				A	E
D		A	B	C	
			C		

119

	D	A	F	B	C
F		C			
			C		E
D	A	E	B	C	

121

	B		F	A	
		D	A		
	F			C	
	C			B	
		A	C		
	A	E		D	

F			E	C	D
			D	F	A
D	E	C			
C	A	E			F

				B	F
		B	F		A
B					E
C					B
E		A	C		
F	D				

123

E		D			
	D			B	A
A	C				
				D	B
B	A			F	
			E		C

124

	A	D			
		E	C	A	
	B			D	
	E			C	
	C	A	E		
			F	B	

	☺		▶	△	◆
✓					
	▶	◆			
			✓	☺	
					▶
▶	△	▽		◆	

	☺	◆	▶		●
	▶	✓	▽		
		☺	●	◆	
✓		▽	◆	▶	

☺	△	✓	●		
			☐	△	
			▶		
		●			
	✓	☐			
		▶	✓	●	△

		4		5	6
6			2		1
1					
					5
4		2			3
5	2		6		

	C	F	D		
	F		A		
D		C			
			F		D
		A		C	
		D	C	B	

✓					
	☺	☐			
		☺	✓	☐	▶
☐	△	▶	◆		
			☺	▶	
					◆

131

	▽	△	▶		
	●		☺		
				☺	△
●	☺				
		●		□	
		☺	△	▶	

		✓			●
			▶		
□	☺		△	▶	
	✓	☺		●	▶
		△			
☺			●		

133

	▶				▽
	△	▶	●		
		✓		△	
	▽		◆		
		▽	✓	▶	
●				▽	

			▶	▽	
	●	▽	□			♦
	✓				
				♦	
▽		♦	●	□
	□	▽			

135

	●				
			△		
☺		●	✓	▽	◆
●	▽	△	◆		☺
		☺			
				●	

136

				△	▽
			▽		
▽	△		☺		□
□		▶		▽	△
		▽			
△	▽				

			6		5
2					
1	6	3		2	
	4		1	6	2
					1
6		4			

			1	5	
5	4	6	3		
	6				
				3	
		1	6	2	4
	2	3			

			1		6
					1
	4	6		2	5
2	5		6	1	
3					
4		2			

140

	1	6			
			5		
6		1	3		2
1		5	4		6
		2			
			1	5	

		2	5		6
4	2	3		5	
	4		2	3	5
2		1	3		

		1	2	3	
				2	
		3	5	1	
	5	6	3		
	4				
	1	2	4		

143

		5	1	2	3
	2				
			4	5	
	6	1			
				1	
4	1	3	2		

144

							2
						6	
5	1		2	6			4
3			6	4		5	1
	4						
1							

		3	6	4	
			1	2	
				6	3
5	4				
	3	1			
	2	6	5		

	F	C		E	D
B		E			C
E			A		F
F	C		E	D	

147

E					B
B	A			D	
		C			A
A			C		
	E			A	F
D					E

148

		D	B	F	
D			F		B
	B				
				C	
B		F			D
	D	A	C		

149

			C		D
	B	A	E	C	
				B	
	A				
	D	C	F	A	
C		D			

E		C		D	A
A	C	D			
			E	F	C
C	F		D		E

					1			
	2	3		5	9			7
	5	1				6	9	
			4				6	3
6								2
2	4				6			
	1	6				2	8	
3			1	8		4	5	
				6				

		8		5		2		
6			8		9			3
	1		6		3		7	
	9	7				6	2	
1								9
	4	3				5	1	
	8		9		7		6	
3			5		2			1
		6		3		4		

			5	8		9		
2		9						8
3		5	7					2
					7	2		
	2	3				4	8	
		6	8					
6					8	3		4
8						7		5
		1		5	9			

7	9						1	5
3		2				8		7
			1		9			
		8	2		7	4		
			5		1			
		9	6		4	3		
			8		3			
6		5				9		3
2	3						6	8

155

		2		9		8		
	5		3		6		9	
8			1		2			5
	1	4				3	2	
2								7
	3	7				5	8	
6			8		7			4
	8		4		9		1	
		9		3		2		

F	H	A		D	D	I	G	
	D		G			C		
		I	H	C				
	D							I
	A					B		
	C							H
		F	E	G				
	B		I			A		
	I	F	B		A	E	D	

I		F		H		A		G
		D				F		
A			F		I			B
			I		H			
		C				I		
			A		D			
B			G		C			H
		G				C		
E		I		A		B		D

159

158

G			A		C			F
		E	H		F	D		
	F						B	
	I		B	F	A		E	
C								H
	E		I	C	H		A	
	G						D	
		I	E		D	C		
A			F		I			B

D		B				G		F
	A						H	
	H		F		G		E	
I				C				A
	C		A		B		D	
B				D				H
	F		G		E		I	
	I						B	
E		G				A		C

		H				C		
B	I			E			A	G
		D	I		C	F		
D				C				H
			E		F			
H				A				B
		E	A		G	B		
I	C			F			G	D
		A				H		

161

●		✓				□		▽
◆	▶			△			☺	●
		◆	✓		●	☺		
–								✓
		●	▶		–	△		
✓	◆			●			△	□
☺		□				–		▶

F	D	H				G	I	
B	C	G		D				
A	I	E	H	G		B	C	
I		C			D			
D								I
			C			D		A
	A	I		B	E			F
				H				
	H	B				E	D	

ANSWERS

1

4	1	2	3
3	2	4	1
1	4	3	2
2	3	1	4

4

3	4	1	2
1	2	3	4
4	3	2	1
2	1	4	3

2

3	2	4	1
4	1	3	2
1	3	2	4
2	4	1	3

5

C	B	D	A
D	A	C	B
B	D	A	C
A	C	B	D

3

1	2	4	3
4	3	1	2
2	4	3	1
3	1	2	4

6

D	B	A	C
A	C	D	B
B	D	C	A
C	A	B	D

ANSWERS

7

C	A	D	B
D	B	A	C
A	C	B	D
B	D	C	A

10

A	C	D	B
D	B	C	A
B	D	A	C
C	A	B	D

8

D	C	A	B
A	B	D	C
B	D	C	A
C	A	B	D

11

A	C	B	D
D	B	A	C
B	D	C	A
C	A	D	B

9

C	A	D	B
D	B	C	A
B	C	A	D
A	D	B	C

12

A	C	D	B
B	D	C	A
C	B	A	D
D	A	B	C

ANSWERS

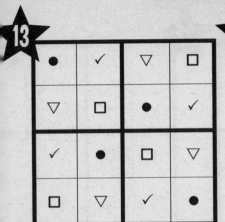

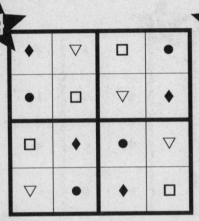

18

4	3	1	2
2	1	3	4
3	2	4	1
1	4	2	3

ANSWERS

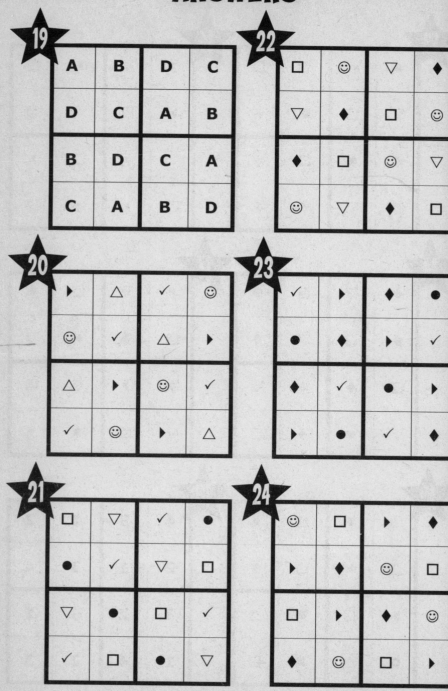

19

A	B	D	C
D	C	A	B
B	D	C	A
C	A	B	D

22

□	☺	▽	◆
▽	◆	□	☺
◆	□	☺	▽
☺	▽	◆	□

20

▶	△	✓	☺
☺	✓	△	▶
△	▶	☺	✓
✓	☺	▶	△

23

✓	▶	◆	●
●	◆	▶	✓
◆	✓	●	▶
▶	●	✓	◆

21

□	▽	✓	●
●	✓	▽	□
▽	●	□	✓
✓	□	●	▽

24

☺	□	▶	◆
▶	◆	☺	□
□	▶	◆	☺
◆	☺	□	▶

ANSWERS

25

▶	●	□	☺
☺	□	●	▶
□	▶	☺	●
●	☺	▶	□

28

1	3	4	2
2	4	1	3
3	1	2	4
4	2	3	1

26

◆	▽	●	△
●	△	▽	◆
▽	◆	△	●
△	●	◆	▽

29

2	4	1	3
1	3	4	2
3	1	2	4
4	2	3	1

27

1	3	2	4
2	4	1	3
4	1	3	2
3	2	4	1

30

2	4	1	3
3	1	2	4
4	2	3	1
1	3	4	2

ANSWERS

31

1	4	2	3
3	2	4	1
2	1	3	4
4	3	1	2

34

2	4	1	3
1	3	2	4
3	1	4	2
4	2	3	1

32

4	3	2	1
1	2	4	3
3	4	1	2
2	1	3	4

35

1	3	2	4
2	4	1	3
3	2	4	1
4	1	3	2

33

2	1	3	4
4	3	2	1
3	4	1	2
1	2	4	3

36

A	C	B	D
B	D	A	C
C	A	D	B
D	B	C	A

ANSWERS

37

C	D	B	A
A	B	D	C
B	C	A	D
D	A	C	B

40

A	B	C	D
D	C	A	B
C	D	B	A
B	A	D	C

38

A	C	D	B
D	B	C	A
B	D	A	C
C	A	B	D

41

D	C	A	B
B	A	C	D
C	D	B	A
A	B	D	C

39

C	D	A	B
B	A	C	D
A	B	D	C
D	C	B	A

42

B	D	C	A
C	A	B	D
A	B	D	C
D	C	A	B

ANSWERS

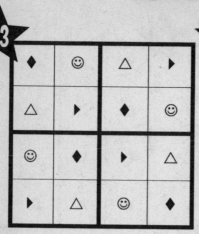

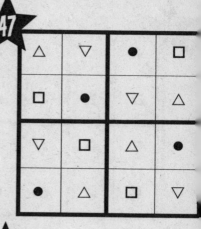

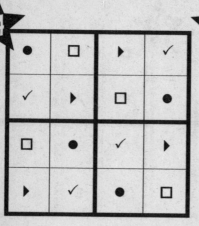

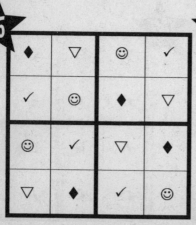

43

46

44

47

45

48

3	1	2	4
4	2	1	3
1	3	4	2
2	4	3	1

ANSWERS

49

B	D	A	C
C	A	D	B
D	B	C	A
A	C	B	D

52

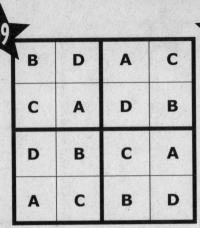

50

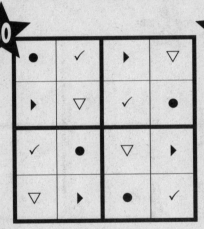

53

51

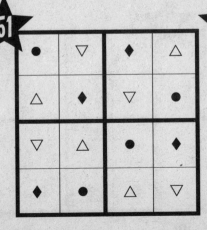

54

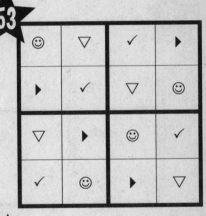

ANSWERS

55

△	▶	☺	◆
◆	☺	△	▶
▶	△	◆	☺
☺	◆	▶	△

58

3	4	1	2
2	1	4	3
4	3	2	1
1	2	3	4

56

▽	△	☺	▶
☺	▶	△	▽
△	▽	▶	☺
▶	☺	▽	△

59

3	4	1	2
1	2	3	4
2	3	4	1
4	1	2	3

57

3	4	2	1
2	1	3	4
4	3	1	2
1	2	4	3

60

2	3	4	1
1	4	3	2
4	2	1	3
3	1	2	4

ANSWERS

61

4	2	1	3
1	3	2	4
2	4	3	1
3	1	4	2

64

1	2	3	4
4	3	2	1
2	4	1	3
3	1	4	2

62

2	1	3	4
3	4	2	1
4	2	1	3
1	3	4	2

65

3	1	2	4
4	2	3	1
2	4	1	3
1	3	4	2

63

3	2	4	1
4	1	3	2
1	3	2	4
2	4	1	3

66

C	A	D	B
D	B	C	A
B	D	A	C
A	C	B	D

ANSWERS

67

C	B	A	D
A	D	C	B
B	A	D	C
D	C	B	A

70

B	C	D	A
D	A	B	C
C	B	A	D
A	D	C	B

68

B	A	C	D
C	D	A	B
D	C	B	A
A	B	D	C

71

B	A	C	D
C	D	B	A
D	B	A	C
A	C	D	B

69

D	C	A	B
A	B	D	C
C	A	B	D
B	D	C	A

72

B	D	C	A
C	A	B	D
D	C	A	B
A	B	D	C

ANSWERS

73

☺	●	▶	✓
▶	✓	☺	●
●	☺	✓	▶
✓	▶	●	☺

76

◆	●	□	△
△	□	●	◆
□	◆	△	●
●	△	◆	□

74

▽	△	✓	□
□	✓	△	▽
✓	▽	□	△
△	□	▽	✓

77

▶	▽	✓	□
✓	□	▽	▶
▽	▶	□	✓
□	✓	▶	▽

75

△	☺	◆	▽
▽	◆	☺	△
◆	△	▽	☺
☺	▽	△	◆

78

●	□	✓	▽
▽	✓	□	●
✓	●	▽	□
□	▽	●	✓

ANSWERS

79

1	4	2	3
3	2	4	1
2	3	1	4
4	1	3	2

82

2	3	4	6	1	5
4	5	2	1	6	3
1	6	3	5	4	2
6	4	5	2	3	1
5	1	6	3	2	4
3	2	1	4	5	6

80

D	A	B	C
C	B	A	D
A	C	D	B
B	D	C	A

83

1	4	5	6	2	3
3	5	1	2	4	6
2	6	4	3	1	5
4	3	2	5	6	1
5	1	6	4	3	2
6	2	3	1	5	4

81

2	1	3	5	4	6
3	4	6	1	5	2
6	5	4	2	3	1
4	3	2	6	1	5
5	2	1	3	6	4
1	6	5	4	2	3

84

5	3	1	4	6	2
6	2	5	3	1	4
1	4	6	2	5	3
2	5	3	6	4	1
3	6	4	1	2	5
4	1	2	5	3	6

ANSWERS

85

1	2	3	5	4	6
3	4	2	6	1	5
5	6	1	4	2	3
6	5	4	1	3	2
2	1	5	3	6	4
4	3	6	2	5	1

88

F	C	A	B	E	D
E	A	C	D	B	F
B	D	E	F	A	C
A	B	D	C	F	E
C	F	B	E	D	A
D	E	F	A	C	B

86

A	B	C	D	E	F
F	C	B	E	D	A
E	D	F	A	B	C
B	E	A	C	F	D
C	F	D	B	A	E
D	A	E	F	C	B

89

E	D	F	C	A	B
B	F	A	D	C	E
C	A	B	E	D	F
D	B	C	F	E	A
F	C	E	A	B	D
A	E	D	B	F	C

87

B	E	F	C	D	A
D	C	E	A	F	B
A	F	B	D	C	E
E	B	C	F	A	D
C	D	A	B	E	F
F	A	D	E	B	C

90

D	C	A	B	E	F
A	E	D	F	C	B
F	B	C	E	D	A
B	A	E	C	F	D
C	F	B	D	A	E
E	D	F	A	B	C

ANSWERS

91
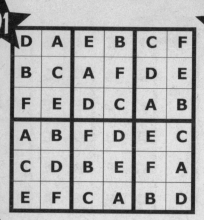

D	A	E	B	C	F
B	C	A	F	D	E
F	E	D	C	A	B
A	B	F	D	E	C
C	D	B	E	F	A
E	F	C	A	B	D

94

D	E	A	B	C	F
B	F	C	D	E	A
C	A	F	E	B	D
E	B	D	F	A	C
F	C	B	A	D	E
A	D	E	C	F	B

92

A	D	E	F	C	B
B	E	C	A	D	F
C	F	B	D	A	E
D	B	F	C	E	A
F	A	D	E	B	C
E	C	A	B	F	D

95

E	B	C	A	F	D
F	C	D	B	A	E
A	D	F	E	C	B
B	E	A	F	D	C
C	F	E	D	B	A
D	A	B	C	E	F

93

F	B	C	D	A	E
E	D	F	A	B	C
A	C	B	E	F	D
B	E	D	F	C	A
C	A	E	B	D	F
D	F	A	C	E	B

96
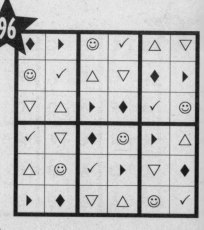

180

ANSWERS

97

98

3	6	1	5	2	4
4	1	2	3	6	5
5	2	4	6	3	1
6	3	5	4	1	2
1	4	6	2	5	3
2	5	3	1	4	6

99

C	F	E	A	D	B
D	A	F	B	C	E
B	E	C	D	F	A
E	D	A	C	B	F
F	B	D	E	A	C
A	C	B	F	E	D

100

101

102

ANSWERS

103

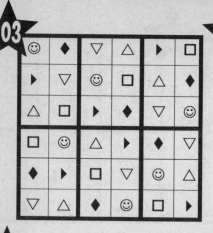

106

104

107

6	2	3	1	4
5	4	6	2	3
1	3	5	4	6
2	5	4	3	1
3	6	1	5	2
4	1	2	6	5

105

108

5	4	1	6	2
2	1	3	5	4
3	6	4	2	5
4	3	5	1	6
6	5	2	3	1
1	2	6	4	3

ANSWERS

09

5	2	3	6	1	4
6	3	4	1	2	5
1	4	2	5	3	6
2	5	6	3	4	1
3	1	5	4	6	2
4	6	1	2	5	3

112

6	4	3	1	5	2
3	5	2	6	4	1
2	1	4	5	6	3
5	6	1	3	2	4
4	3	5	2	1	6
1	2	6	4	3	5

10

1	2	6	4	3	5
4	3	5	1	2	6
6	5	3	2	4	1
2	1	4	5	6	3
3	4	1	6	5	2
5	6	2	3	1	4

113

6	2	1	5	3	4
5	3	6	4	1	2
1	4	2	3	5	6
3	1	4	2	6	5
4	5	3	6	2	1
2	6	5	1	4	3

11

6	5	1	2	4	3
2	4	3	5	6	1
3	1	4	6	5	2
4	2	6	1	3	5
5	6	2	3	1	4
1	3	5	4	2	6

114

3	1	2	4	5	6
6	4	5	3	2	1
5	2	1	6	3	4
4	5	3	1	6	2
1	3	6	2	4	5
2	6	4	5	1	3

ANSWERS

115

6	1	5	4	2	3
5	3	6	2	4	1
2	4	1	3	6	5
3	5	2	6	1	4
4	2	3	1	5	6
1	6	4	5	3	2

118

F	B	C	D	E
E	D	F	A	B
C	A	B	E	F
B	C	D	F	A
D	E	A	B	C
A	F	E	C	D

116

C	B	D	E	F	A
E	A	F	B	C	D
F	D	C	A	E	B
D	E	A	C	B	F
A	C	B	F	D	E
B	F	E	D	A	C

119

E	D	A	F	B
F	B	C	D	E
A	C	B	E	F
C	E	F	A	D
B	F	D	C	A
D	A	E	B	C

117

F	B	C	E	A	D
A	E	D	B	F	C
C	D	A	F	B	E
B	F	E	D	C	A
D	C	F	A	E	B
E	A	B	C	D	F

120

D	B	C	F	A
C	E	D	A	F
A	F	B	E	C
E	C	F	D	B
B	D	A	C	E
F	A	E	B	D

ANSWERS

121

F	B	A	E	C	D
A	D	F	C	B	E
E	C	B	D	F	A
D	E	C	F	A	B
B	F	D	A	E	C
C	A	E	B	D	F

124

C	A	D	B	E	F
D	F	E	C	A	B
E	B	F	A	D	C
F	E	B	D	C	A
B	C	A	E	F	D
A	D	C	F	B	E

122

A	C	D	E	B	F
D	E	B	F	C	A
B	F	C	A	D	E
C	A	F	D	E	B
E	B	A	C	F	D
F	D	E	B	A	C

125

▽	☺	✓	▶	△	◆
✓	◆	☺	△	▶	▽
△	▶	◆	▽	✓	☺
◆	▽	▶	✓	☺	△
☺	✓	△	◆	▽	▶
▶	△	▽	☺	◆	✓

123

E	B	D	A	C	F
F	D	E	C	B	A
A	C	F	B	E	D
C	E	A	F	D	B
B	A	C	D	F	E
D	F	B	E	A	C

126

◆	✓	●	☺	▽	▶
▽	☺	◆	▶	✓	●
●	▶	✓	▽	☺	◆
▶	▽	☺	●	◆	✓
✓	●	▽	◆	▶	☺
☺	◆	▶	✓	●	▽

ANSWERS

127

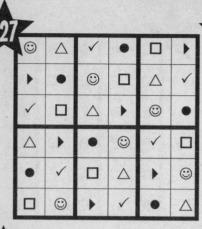

☺	△	✓	●	☐	▶
▶	●	☺	☐	△	✓
✓	☐	△	▶	☺	●
△	▶	●	☺	✓	☐
●	✓	☐	△	▶	☺
☐	☺	▶	✓	●	△

130

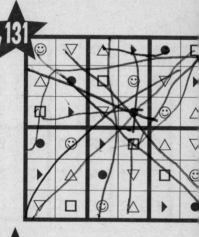

✓	☐	♦	▶	☺	
▶	☺	☐	△	♦	✓
△	♦	☺	✓	☐	▶
☐	△	▶	♦	✓	☺
♦	✓	△	☺	▶	☐
☺	▶	✓	☐	△	♦

128

2	3	4	1	5	6
6	4	5	2	3	1
1	5	6	3	4	2
3	6	1	4	2	5
4	1	2	5	6	3
5	2	3	6	1	4

131

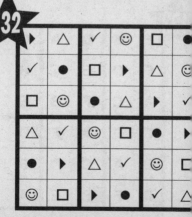

129

B	C	F	D	E	A
E	F	B	A	D	C
D	A	C	E	F	B
C	B	E	F	A	D
F	D	A	B	C	E
A	E	D	C	B	F

132

▶	△	✓	☺	☐	●
✓	●	☐	▶	△	☺
☐	☺	●	△	▶	✓
△	✓	☺	☐	●	▶
●	▶	△	✓	☺	☐
☺	☐	▶	●	✓	△

ANSWERS

133

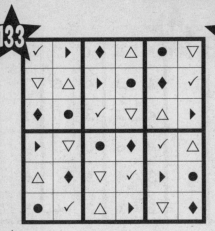

✓	▶	♦	△	●	▽
▽	△	▶	●	♦	✓
♦	●	✓	▽	△	▶
▶	▽	●	♦	✓	△
△	♦	▽	✓	▶	●
●	✓	△	▶	▽	♦

136

☺	✓	□	▶	△	▽
▶	□	△	▽	☺	✓
▽	△	✓	☺	▶	□
□	☺	▶	✓	▽	△
✓	▶	▽	△	□	☺
△	▽	☺	□	✓	▶

134

□	♦	●	▶	▽	✓
●	▽	□	✓	▶	♦
▶	✓	♦	▽	□	●
✓	●	▶	□	♦	▽
▽	▶	✓	♦	●	□
♦	□	▽	●	✓	▶

137

4	3	2	6	1	5
2	5	1	4	3	6
1	6	3	5	2	4
3	4	5	1	6	2
5	2	6	3	4	1
6	1	4	2	5	3

135

▽	●	♦	☺	△	✓
✓	♦	▽	△	☺	●
☺	△	●	✓	▽	♦
●	▽	△	♦	✓	☺
△	✓	☺	●	♦	▽
♦	☺	✓	▽	●	△

138

2	3	4	1	5	6
5	4	6	3	1	2
1	6	5	2	4	3
6	1	2	4	3	5
3	5	1	6	2	4
4	2	3	5	6	1

ANSWERS

139

5	2	4	1	3	6
6	3	5	2	4	1
1	4	6	3	2	5
2	5	3	6	1	4
3	6	1	4	5	2
4	1	2	5	6	3

142

5	6	1	2	3	4
1	3	4	6	2	5
4	2	3	5	1	6
2	5	6	3	4	1
3	4	5	1	6	2
6	1	2	4	5	3

140

4	1	6	2	3	5
3	2	4	5	6	1
6	5	1	3	4	2
1	3	5	4	2	6
5	4	2	6	1	3
2	6	3	1	5	4

143

6	4	5	1	2	3
5	2	6	3	4	1
1	3	2	4	5	6
2	6	1	5	3	4
3	5	4	6	1	2
4	1	3	2	6	5

141

3	1	2	5	4	6
4	2	3	6	5	1
5	6	4	1	2	3
6	3	5	4	1	2
1	4	6	2	3	5
2	5	1	3	6	4

144

4	6	5	3	1	2
2	3	4	1	6	5
5	1	2	6	3	4
3	2	6	4	5	1
6	4	1	5	2	3
1	5	3	2	4	6

ANSWERS

145

2	5	3	6	4	1
3	6	4	1	2	5
4	1	5	2	6	3
5	4	2	3	1	6
6	3	1	4	5	2
1	2	6	5	3	4

148

C	E	D	B	F	A
D	A	C	F	E	B
F	B	E	A	D	C
A	F	B	D	C	E
B	C	F	E	A	D
E	D	A	C	B	F

146

A	F	C	B	E	D
B	D	E	F	A	C
C	E	A	D	F	B
D	A	F	C	B	E
E	B	D	A	C	F
F	C	B	E	D	A

149

A	F	B	C	E	D
D	B	A	E	C	F
E	C	F	D	B	A
F	A	E	B	D	C
B	D	C	F	A	E
C	E	D	A	F	B

147

E	C	D	A	F	B
B	A	F	E	D	C
F	D	C	B	E	A
A	F	E	C	B	D
C	E	B	D	A	F
D	B	A	F	C	E

150

E	B	C	F	D	A
A	C	D	B	E	F
F	D	E	A	C	B
B	E	F	C	A	D
D	A	B	E	F	C
C	F	A	D	B	E

ANSWERS

151

9	6	7	8	1	4	3	2	5
4	2	3	6	5	9	8	1	7
8	5	1	2	7	3	6	9	4
1	7	5	4	2	8	9	6	3
6	3	8	7	9	1	5	4	2
2	4	9	5	3	6	1	7	8
7	1	6	3	4	5	2	8	9
3	9	2	1	8	7	4	5	6
5	8	4	9	6	2	7	3	1

153

4	6	7	5	8	2	9	3	1
2	1	9	6	4	3	5	7	8
3	8	5	7	9	1	6	4	2
5	4	8	3	1	7	2	6	9
1	2	3	9	6	5	4	8	7
9	7	6	8	2	4	1	5	3
6	5	2	1	7	8	3	9	4
8	9	4	2	3	6	7	1	5
7	3	1	4	5	9	8	2	6

152

7	3	8	4	5	1	2	9	6
6	5	2	8	7	9	1	4	3
4	1	9	6	2	3	8	7	5
8	9	7	3	1	5	6	2	4
1	6	5	2	8	4	7	3	9
2	4	3	7	9	6	5	1	8
5	8	1	9	4	7	3	6	2
3	7	4	5	6	2	9	8	1
9	2	6	1	3	8	4	5	7

154

7	9	4	3	2	8	6	1	5
3	1	2	4	5	6	8	9	7
8	5	6	1	7	9	2	3	4
1	6	8	2	3	7	4	5	9
4	2	3	5	9	1	7	8	6
5	7	9	6	8	4	3	2	1
9	4	1	8	6	3	5	7	2
6	8	5	7	1	2	9	4	3
2	3	7	9	4	5	1	6	8

ANSWERS

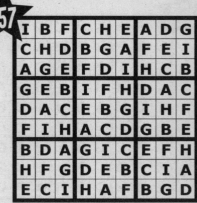

55

3	7	2	5	9	4	8	6	1
4	5	1	3	8	6	7	9	2
8	9	6	1	7	2	4	3	5
5	1	4	7	6	8	3	2	9
2	6	8	9	5	3	1	4	7
9	3	7	2	4	1	5	8	6
6	2	3	8	1	7	9	5	4
7	8	5	4	2	9	6	1	3
1	4	9	6	3	5	2	7	8

157

I	B	F	C	H	E	A	D	G
C	H	D	B	G	A	F	E	I
A	G	E	F	D	I	H	C	B
G	E	B	I	F	H	D	A	C
D	A	C	E	B	G	I	H	F
F	I	H	A	C	D	G	B	E
B	D	A	G	I	C	E	F	H
H	F	G	D	E	B	C	I	A
E	C	I	H	A	F	B	G	D

56

C	F	H	A	B	D	I	G	E
I	B	D	E	G	F	C	A	H
A	E	G	I	H	C	D	F	B
F	D	E	H	A	B	G	I	C
G	H	A	C	F	I	B	E	D
B	C	I	G	D	E	F	H	A
D	A	C	F	E	G	H	B	I
E	G	B	D	I	H	A	C	F
H	I	F	B	C	A	E	D	G

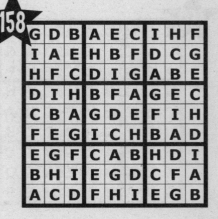

158

G	D	B	A	E	C	I	H	F
I	A	E	H	B	F	D	C	G
H	F	C	D	I	G	A	B	E
D	I	H	B	F	A	G	E	C
C	B	A	G	D	E	F	I	H
F	E	G	I	C	H	B	A	D
E	G	F	C	A	B	H	D	I
B	H	I	E	G	D	C	F	A
A	C	D	F	H	I	E	G	B

ANSWERS

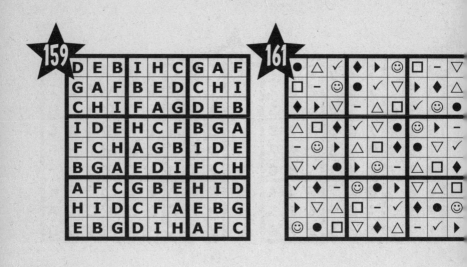

159

D	E	B	I	H	C	G	A	F
G	A	F	B	E	D	C	H	I
C	H	I	F	A	G	D	E	B
I	D	E	H	C	F	B	G	A
F	C	H	A	G	B	I	D	E
B	G	A	E	D	I	F	C	H
A	F	C	G	B	E	H	I	D
H	I	D	C	F	A	E	B	G
E	B	G	D	I	H	A	F	C

161

●	△	✓	♦	▶	☺	□	—	▽
□	—	☺	●	✓	▽	▶	♦	△
♦	▶	▽	—	△	□	✓	☺	●
△	□	♦	✓	▽	●	☺	▶	—
—	☺	▶	△	□	♦	●	▽	✓
▽	✓	●	▶	☺	—	△	□	♦
✓	♦	—	☺	●	▶	▽	△	□
▶	▽	△	□	—	✓	♦	●	☺
☺	●	□	▽	♦	△	—	✓	▶

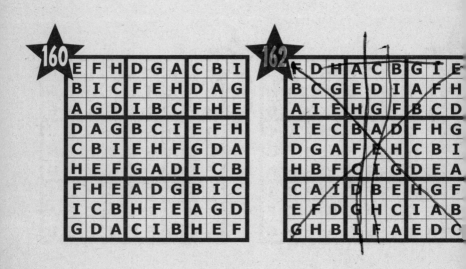

160

E	F	H	D	G	A	C	B	I
B	I	C	F	E	H	D	A	G
A	G	D	I	B	C	F	H	E
D	A	G	B	C	I	E	F	H
C	B	I	E	H	F	G	D	A
H	E	F	G	A	D	I	C	B
F	H	E	A	D	G	B	I	C
I	C	B	H	F	E	A	G	D
G	D	A	C	I	B	H	E	F

162

F	D	H	A	C	B	G	I	E
B	C	G	E	D	I	A	F	H
A	I	E	H	G	F	B	C	D
I	E	C	B	A	D	F	H	G
D	G	A	F	E	H	C	B	I
H	B	F	C	I	G	D	E	A
C	A	I	D	B	E	H	G	F
E	F	D	G	H	C	I	A	B
G	H	B	I	F	A	E	D	C

192